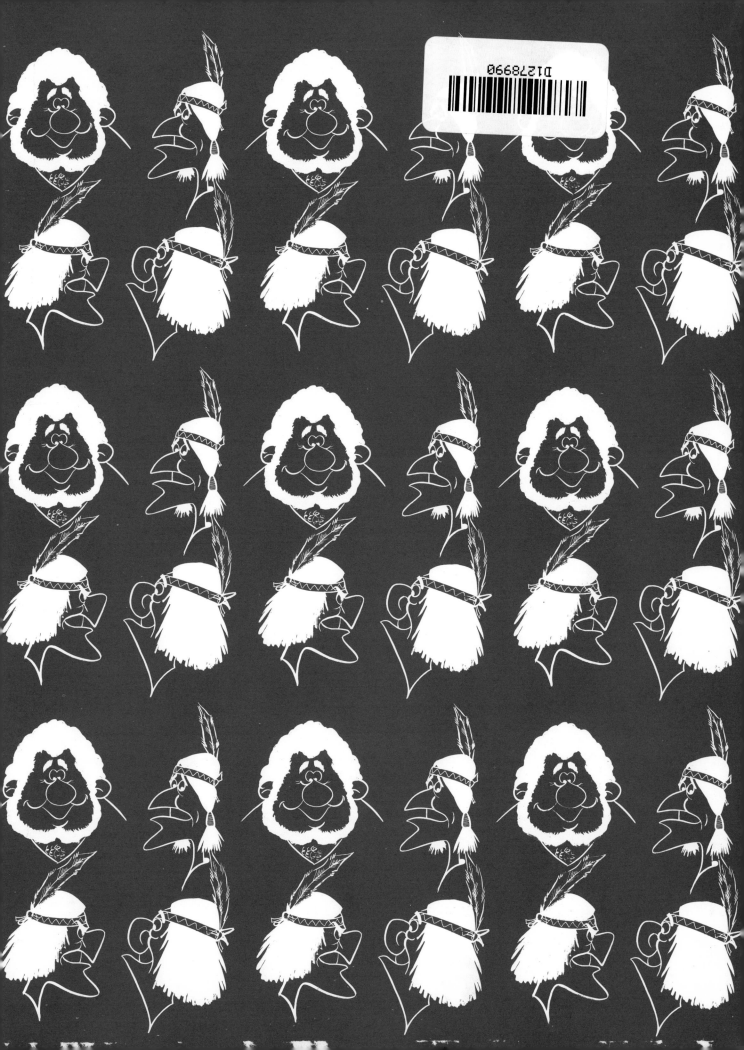

une aventure de BOJOUAL

LE ZEUS DE LA XXIe OLYMPIADE

**dessins et texte
J. GUILEMAY**

mondia éditeur

1977, BOUL. INDUSTRIEL, CHOMEDEY, LAVAL, QUÉBEC, CANADA

Dans la même collection:
- **BOJOUAL LE HURON-KÉBÉKOIS**
- **BOJOUAL À L'EX-PEAUX DES 67**
- **LE CARNAVAL DES NAISSANCES**
  (en préparation)

Collection Ti-Jean le Québécois:
- **LES HABITS ROUGES**
- **LE TRAÎTRE**
  (en préparation)

Dépôt légal — 1er trimestre 1976
Bibliothèque nationale du Québec
Bibliothèque nationale du Canada

ISBN: 0-88556-003-5

©MONDIA INC., Ottawa 1976

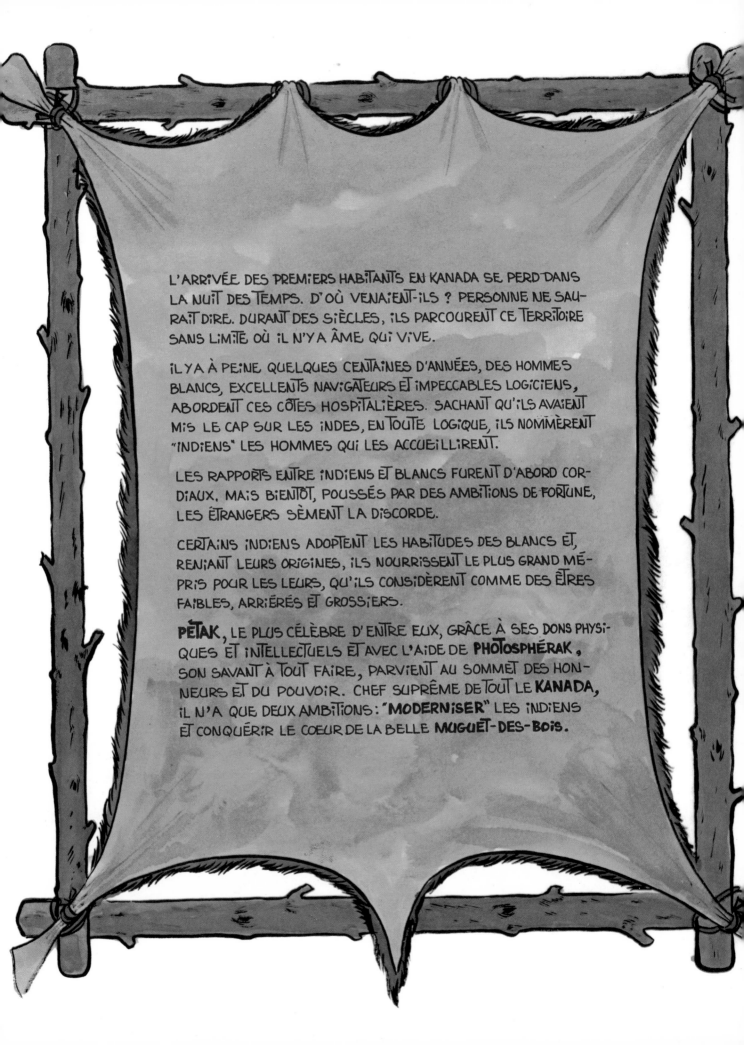

L'ARRIVÉE DES PREMIERS HABITANTS EN KANADA SE PERD DANS
LA NUIT DES TEMPS. D'OÙ VENAIENT-ILS ? PERSONNE NE SAU-
RAIT DIRE. DURANT DES SIÈCLES, ILS PARCOURENT CE TERRITOIRE
SANS LIMITE OÙ IL N'Y A ÂME QUI VIVE.

IL Y A À PEINE QUELQUES CENTAINES D'ANNÉES, DES HOMMES
BLANCS, EXCELLENTS NAVIGATEURS ET IMPECCABLES LOGICIENS,
ABORDENT CES CÔTES HOSPITALIÈRES. SACHANT QU'ILS AVAIENT
MIS LE CAP SUR LES INDES, EN TOUTE LOGIQUE, ILS NOMMÈRENT
"INDIENS" LES HOMMES QUI LES ACCUEILLIRENT.

LES RAPPORTS ENTRE INDIENS ET BLANCS FURENT D'ABORD COR-
DIAUX, MAIS BIENTÔT, POUSSÉS PAR DES AMBITIONS DE FORTUNE,
LES ÉTRANGERS SÈMENT LA DISCORDE.

CERTAINS INDIENS ADOPTENT LES HABITUDES DES BLANCS ET,
RENIANT LEURS ORIGINES, ILS NOURRISSENT LE PLUS GRAND MÉ-
PRIS POUR LES LEURS, QU'ILS CONSIDÈRENT COMME DES ÊTRES
FAIBLES, ARRIÉRÉS ET GROSSIERS.

PÉTAK, LE PLUS CÉLÈBRE D'ENTRE EUX, GRÂCE À SES DONS PHYSI-
QUES ET INTELLECTUELS ET AVEC L'AIDE DE **PHOTOSPHÉRAK**,
SON SAVANT À TOUT FAIRE, PARVIENT AU SOMMET DES HON-
NEURS ET DU POUVOIR. CHEF SUPRÊME DE TOUT LE **KANADA**,
IL N'A QUE DEUX AMBITIONS : "MODERNISER" LES INDIENS
ET CONQUÉRIR LE COEUR DE LA BELLE **MUGUET-DES-BOIS**.

BOJOUAL, COUREUR DE BOIS SANS PAREIL, IL CONNAÎT LE PAYS COMME LE FOND DE SON CANOT D'ÉCORCE. ÉPRIS DE JUSTICE ET DE LIBERTÉ, VAILLANT ET COURAGEUX, IL NE FERAIT PAS DE MAL À UNE MOUCHE... SI LA MOUCHE NE LUI FAIT PAS DE MAL... MAIS QU'ELLE LE PIQUE UN PEU, IL SE MET EN* **"BEAU JOUAL VERT"** ET SE DÉCOUVRE UNE FORCE** **"LOUICYRIENNE".**

* EN FURIE
** LOUIS CYR, LE KÉBÉKOIS QUI FUT L'HOMME LE PLUS FORT D'AMÉRIK.

SAUTE-MOUTON, AMI "À MORT" DE BOJOUAL QU'IL NE LAISSE JAMAIS D'UNE SEMELLE DE MOCASSIN. ET POUR CAUSE: IL A PEUR D'AVOIR PEUR. TRÈS HABILE CONTORSIONNISTE, SURTOUT QUAND IL S'AGIT DE PRENDRE LES JAMBES À SON COU.

FEU-FOLLET, LE MOUTON NOIR DE LA TRIBU. SA GRANDE FAIBLESSE: SON GOÛT IMMODÉRÉ POUR L'EAU-DE-FEU. DE CE FAIT, IL EST À L'ORIGINE DE NOMBREUSES BROUILLES ET CHAMAILLERIES PARMI LES SIENS. PAR CONTRE, IL EST D'UNE GÉNÉROSITÉ EXCESSIVE, POUR NE PAS DIRE INTEMPÉRANTE.

LOUP-GAROU, DOUÉ D'UNE INTELLIGENCE DES CHOSES DE L'ESPRIT, PRESTIDIGITATEUR, PHILOSOPHE ET ASTROLOGUE. VOYANT MÉCONNU DONT SEUL BOJOUAL RECONNAÎT PARFOIS LES DONS.

LE PEUPLE DES HU-
RONS-KÉBÉKOIS EST
UN PEUPLE SAIN, HEU-
REUX ET SANS SOU-
CIS. IL NE VIT PRIN-
CIPALEMENT QUE DE
SPORTS ET C'EST
DANS CETTE ATMOS-
PHÈRE QUE NOUS
LES SURPRENONS.

BAGGATA!
BAGGATA!

BRAVO, SAUTE-
MOUTON! TU VIENS
DE BATTRE LE RE-
CORD DE NOTRE
TRIBU!

YOUPI!
LE CHAMPION
C'EST MOI!

HÉ, VOUS DEUX
UN PEU DE SILEN-
CE, J'AIMERAIS
BIEN MÉDITER
TRANQUILLEMENT.

MA BELLE MUGUET-
DES-BOIS, TE VOILÀ UNE
EXPERTE MAINTENANT.
UN BRILLANT AVENIR SE
DESSINE POUR TOI.

C'EST GRÂCE À TOI, BO-
JOUAL, QUELLE CHANCE DE
T'AVOIR COMME MAÎTRE.
TIENS, JE T'EMBRASSE.

SMAC!

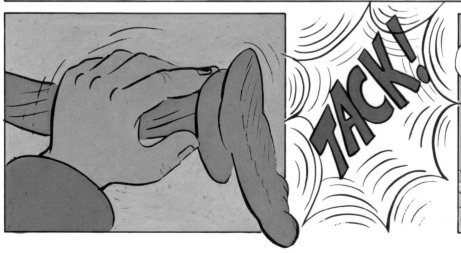

7

PENDANT CE TEMPS À MONTRÉAL...

M. J. PEAUDERAT

MAIS.... QUEL DRÔLE D'INDIVIDU ? ? ? ? ? ? !

CE N'EST POURTANT PAS L'HEURE DU COURRIER ???

ON VOIT DE TOUT DANS CE PAYS DE FOU ! UN FACTEUR À DEMI NU, FLAMBEAU À LA MAIN.

CE QUE LES COMPAGNIES NE FERAIENT PAS POUR DE LA PUBLICITÉ !

C.I.O.? CE DOIT-ÊTRE UNE COMPAGNIE D'IMPORTATION D'ORFÈVRERIE ! ILS SAVENT QUE MON MAÎTRE EST AMATEUR.

MOSSIÉ UNE LETTRE VIENT D'ARRIVER POUR VOUS !

A CETTE HEURE-CI ? C'EST BIZARRE !

C'EST ENCORE UNE RÉCLAME PUBLICITAIRE.

VOUS VOUDREZ BIEN ME LAISSER JUGER DE L'IMPORTANCE DU CONTENU DE MON COURRIER.

A VOS ORDRES, MOSSIÉ.

8

C.I.O

M. J. PEAUDERAT
HAUT COMMISSAIRE
VILLE DE MONTREAL
A ÉTÉ
MONTREAL A ÉTÉ
CHOISIE POUR
PRÉSENTER LES
JEUX DE LA
XXI°
OLYMPIADE
C.I.O.

YOUPPi! J'Ai RÉUSSI, JE LES Ai MES OLYMPiQUES!

BON, BON, UN PEU DE CALME! JE DOIS MAINTENANT AVISER PÉTAK. ACCEPTERA-T-IL DE COLLABORER AVEC MOI? ORGUEILLEUX COMME IL EST, IL NE RÉSISTERA PAS AU PRESTIGE D'UN TEL ÉVÉNEMENT.

BLANCHE-NEIGE, DEMANDE AU COCHER DE PRÉPARER MA VOITURE, JE DOIS VOIR PÉTAK.

OUi, MOSSIÉ TOUT DE SUiTE.

PEU APRÈS

TIENS, PEAUDERAT SUR LE "GO"! IL VA Y AVOIR DE L'ACTION.

GUÉDOPE! GUÉDOPE!

BON, RÉFLÉCHIS-SONS... L'EMPLACEMENT... LES MATÉRIAUX... LA MAIN D'OEUVRE... LE FINANCEMENT...

... NON, VRAIMENT, JE NE VOIS RIEN QUI PUISSE DÉPLAIRE À PÉTAK DANS TOUTE CETTE AFFAIRE... JE SUIS PRÊT À L'AFFRONTER.

CHEZ PÉTAK

MONSIEUR DÉSIRE?

VEUiLLEZ ANNONCER A VOTRE MAÎTRE QUE LE HAUT COMMISSAIRE PEAUDERAT SOLLICITE UN ENTRETIEN.

JE VOUS EN PRIE, MONSIEUR, PRENEZ UN FAUTEUIL, JE VAIS PRÉVENIR MON MAÎTRE.

PEU APRÈS

SI MONSIEUR VEUT BIEN ME SUIVRE, MON MAÎTRE VA LE RECEVOIR.

9

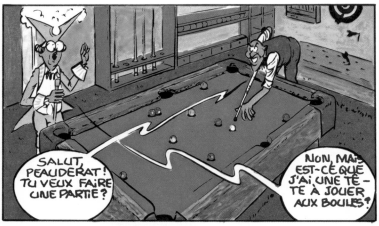

LE LENDEMAIN MATIN, LE JOUR MÊME DE SA 2ᵉ LUNE DE MIEL, PEAUDERAT A UNE MISSION IMPORTANTE A ACCOMPLIR.

TERRITOIRES INDIENS

MAIS DANS QUELLE DIRECTION ALLEZ-VOUS?

JE VAIS DANS LA DIRECTION OÙ JE VEUX ALLER! LÀ!

MAIS... CE N'EST PAS LA BONNE!

ÉCOUTEZ! JE SAIS TRÈS BIEN OÙ JE VAIS! VEILLEZ À ALLER OÙ JE VAIS!!

ET SI JE NE VEUX PAS ALLER OÙ VOUS ALLEZ, OÙ CROYEZ-VOUS QUE VOUS IREZ?

ALLEZ AU DIABLE! J'IRAI OÙ VOUS ALLEZ SI VOUS ALLEZ OÙ JE DOIS ALLER!

COMMISSAIRE JE CROIS QUE VOTRE FEMME NE VEUT ALLER OÙ VOUS ALLEZ!

NIAGARA! NIAGARA! IL N'Y A PAS QUE NIAGARA POUR UNE LUNE DE MIEL!

OUI, CHÉRIE, TU VEUX ME DIRE QUELQUE CHOSE?

13

MALHEUR! LE CADAVRE DE FEU-FOLLET!

COMME LE VEUT LA TRADITION CHEZ-NOUS, JE DOIS L'AMENER AU VILLAGE POUR FAIRE BRÛLER SON CORPS.

UN SUICIDE CHEZ LES INDIENS, ÇA NE S'EST JAMAIS VU! IL SE SERA ASSASSINÉ.

SUR UNE CIVIÈRE DE BOIS CONSTRUITE DE SES PROPRES MAINS, LOUP-GAROU, TRANSPORTE LA DÉPOUILLE DE SON AMI.

QU'EST-CE QUI SE PASSE LÀ-BAS?

FEU-FOLLET S'EST SUICIDÉ... NOYÉ... IL EST ...MORT!

JE NE PEUX PLUS... SUPPORTER... CET HORRIBLE... SPECTACLE... BOU... HOU.. HOU...

LOUP-GAROU ATTENDS!

AH, NON!

...OUAIS LOUP-GAROU A BEL ET BIEN RAISON, IL EST BIEN MORT NOTRE FEU-FOLLET.

IL EST IVRE-MORT, CET IDIOT! SACREZ-LE DANS LE RÉCUPÉRATEUR D'ESPRIT!

14

ALERTE ROUGE! (Police) BATEAU D'HOMMES BLANCS EN VUE

POSTE DE GUET

ET BIEN, VOILA DE QUOI NOUS AMUSER!

ALLONS PRÉVENIR BOJOUAL DE LA VISITE DE CES INTRUS!

D'ACCORD, FEU-FOLLET! COMME JE SUIS CONTENT QUE TU SOIS VIVANT.

BOJOUAL, UN MESSAGE DU POSTE DE GUET.

DÈS QU'IL AURA FINI CE TRAVAIL BOJOUAL JOUERA À SAUTE-MOUTON.

TIENS, UN REVENANT! BOUAFF! J'IGNORE SI TU TE SENS BIEN MAIS JE TROUVE QUE TU PUES AFFREUSEMENT.

HA! HA! HA! HA!

ILS NE MANQUENT PAS DE CULOT CES VISAGES PÂLES. S'ILS CROIENT QUE LEUR FORTERESSE FLOTTANTE LES PROTÈGE, ILS SE TROMPENT.

SAUTE-MOUTON, VA CHERCHER MON ARC DE 60 Kgs (130lbs) ET APPORTE-MOI LE CÂBLE LE PLUS LONG.

VITE, PETIT FRÈRE, NOUS SOMMES ENVAHIS PAR UNE ARMÉE DE BLANCS!

OUI?!! TOUTE UNE ARMÉE?!!

FEU-FOLLET, PRENDS AVEC TOI DIX DES MEILLEURS ARCHERS ET CONDUIS-LES SUR LE ROCHER DE LA BAIE DORÉE.

TRÈS BIEN, J'EXÉCUTE TES ORDRES!

PEU APRÈS À LA BAIE DORÉE

NOUS ATTENDONS TES ORDRES BOJOUAL!

LE BATEAU VA BIENTÔT PÉNÉTRER DANS LA BAIE. QUE PERSONNE NE TIRE AVANT MON SIGNAL!

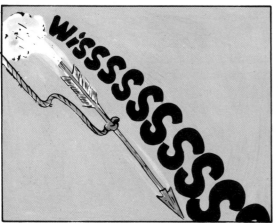

PEU APRÈS

MADAME VOTRE FEMME NE SE JOINT PAS À NOUS ?

ELLE SOUFFRE D'UNE AFFREUSE MIGRAINE. ELLE VOUS PRIE DE L'EXCUSER.

BOJOUAL, J'AIMERAIS QUE VOUS ME DISIEZ CE QUE VOUS PENSEZ DES OLYMPIQUES ?

LES OLYMPIQUES.

C'ÉTAIT LE PLUS GRAND RÊVE DE NOTRE TRIBU DE POUVOIR UN JOUR COMPÉTITIONNER AVEC LES PLUS GRANDS ATHLÈTES DU MONDE ENTIER...

... JUSQU'AU MOMENT OÙ PÉTAK A FAIT PASSER UNE LOI QUI DÉFEND À TOUT INDIEN DE FAIRE PARTIE DE L'ÉQUIPE DU KANADA !

ET SI JE FAISAIS DISPARAÎTRE CETTE LOI...

SERIEZ-VOUS PRÊTS À FAIRE PARTIE DE CETTE BELLE ÉQUIPE DU KANADA ?

EUH, ET BIEN, OUI !

BRAVO BOJOUAL VOUS AVEZ DE BONNES CHANCES DE PARTICIPER AUX PROCHAINS JEUX OLYMPIQUES

NOUS AUX PROCHAINS JEUX, VOUS VOULEZ RIRE.

PENDANT QUE MA SOEUR PRÉPARERA LA SOUPE, VOUS ALLEZ M'EXPLIQUER TOUTE CETTE AFFAIRE

20

JE VOUS EN PRIE, ENTREZ COMMISSAIRE.

DITES DONC, MAIS C'EST TRÈS BIEN CHEZ VOUS. PÉTAK A TORT DE DIRE QUE VOUS HABITEZ DANS DES TAUDIS DÉLABRÉS ET CRASSEUX.

C'EST TRÈS CONFORTABLE ET CELA NOUS SUFFIT. PÉTAK NE SAIT PLUS CE QUE SIGNIFIE UNE MAISON CONFORTABLE.

JE VOUS ENVIE BEAUCOUP DE VIVRE UNE VIE AUSSI AVENTUREUSE.

COMMISSAIRE, NE ME FAITES PAS LANGUIR PLUS LONGTEMPS.

D'ACCORD BOJOUAL, JE VAIS TOUT T'EXPLIQUER. D'ABORD LES PROCHAINS JEUX ONT LIEU À MONTRÉAL.

ICI À MONTRÉAL, TOUT PRÈS DE CHEZ-NOUS? MAIS COMMENT AVEZ-VOUS FAIT POUR RÉUSSIR UN COUP PAREIL.

ÇA C'EST UNE TOUTE AUTRE HISTOIRE; CE SERAIT TROP LONG À TE RACONTER! VOICI PLUTÔT MA PROPOSITION. VOTRE PARTICIPATION AUX JEUX EN ÉCHANGE DE LA MAIN-D'ŒUVRE POUR CONSTRUIRE LE STADE.

VOUS VOULEZ DIRE QUE SI NOUS ACCEPTONS DE CONSTRUIRE LE STADE OLYMPIQUE, NOUS POURRONS FAIRE PARTIE DE L'ÉQUIPE DU KANADA?

EN PLEIN ÇA, BOJOUAL!

LE SOUPER EST PRÊT, SI VOUS TENEZ À MANGER CHAUD, VOUS FAITES MIEUX DE VOUS GROUILLER!

TRÈS BIEN PETITE SŒUR, ON ARRIVE.

TU DIS TOUJOURS ÇA ET À CHAQUE FOIS C'EST PAREIL. TU MANGES FROID AMENEZ-VOUS!!!

HA! HA! HA! D'ACCORD, D'ACCORD, ON TE SUIT DE PRÈS.

OUI, MADAME, DE TRÈS PRÈS.

ENTHOUSIASTES ET ÉMERVEILLÉS DE CE PROJET OLYMPIQUE, LES INDIENS TRAVAILLENT À UN RYTHME INESPÉRÉ; LA MOITIÉ DES TRAVAUX SE TERMINE EN UN TEMPS RECORD. MAIS LA FATIGUE COMMENCE À SE FAIRE SENTIR ET LES POLICIERS CHARGÉS DE SURVEILLER LA BONNE MARCHE DES TRAVAUX, COMMENCENT À LES ÉNERVER.

HÉ, LÀ-BAS! PAS DE FLÂNERIE SUR LE CHANTIER, ORDRE DE PÉTAK!!

DEBOUT VOUS AUTRES, AU TRAVAIL! ESPÈCES DE LÂCHES!

OUI, J'AI BIEN DIT "LÂCHES"!

JE NE SUPPORTERAI PAS QU'ON ME CRIE DES NOMS SURTOUT PAS UN ARCIEMPISTE!

TIENS, JE VAIS TE TRANCHER TA LANGUE MATERNELLE!

AU SECOURS! UN POLICIER A ÉTÉ POIGNARDÉ!!

BADABOUM! BADABOUM! BADA

J'AI TUÉ LA LANGUE D'UN ANGLAIS! HA! HA! HA! HA!

L'ANGLAIS EST MAINTENANT UNE LANGUE MORTE!

ARRÊTEZ CES DEUX BOUFFONS DE CRIMINELS POUR TENTATIVE DE MEURTRE SUR MA PERSONNE!

ASSASSIN, BANDIT! TU SERAS PENDU POUR ÇÀ!

SALES CHIENS D'INDIENS, VOUS L'AVEZ CHERCHÉ!

AÏE!

23

24

28

QU'EST CE QUE C'EST QUE CETTE HISTOIRE DE SALAI-RE?

JE VOUS JURE QUE C'EST UN AU-TRE COUP DE PÉTAK!

LES BLANCS PAYÉS... LES INDIENS BÉNÉVOLÉS!

D'ACCORD! D'ACCORD!

JE NE PERMETTRAI PAS QU'ON RIDICULISE AINSI MON PEUPLE. OU BIEN VOUS NE PAYEZ PLUS LES BLANCS OU BIEN VOUS NOUS PAYEZ!

OH!!!

HEP, TI-BOUTE, VEUX-TU MA PAN-CARTE?

NON, MER-CI, J'AI UNE ÉCHARDE AU POUCE.

MISÉRABLE INCONSCIENT DE PÉTAK. ON DIRAIT QU'IL FAIT TOUT POUR FOR-CER LES INDIENS À ABAN-DONNER LES TRAVAUX. JE VAIS L'OBLIGER À PA-YER UN SALAIRE AUX IN-DIENS. APRÈS TOUT C'EST GRÂCE À MOI SI SES COF-FRES SONT REMPLIS.

ÉÉ Olympicus XXI
Montréal Olympiad
10 Dollars
IN PÉTAK WE TRUST

EN EFFET, L'IDÉE DE PEAUDERAT DE METTRE SUR LE MARCHÉ DE LA FAUSSE MONNAIE SOUS L'ESTAMPE OLYMPIQUE POUR L'ÉCHANGER CONTRE DE LA VRAIE...

..S'AVÈRE UN TRÈS GRAND SUCCÈS. LE PUBLIC AVIDE DE SOUVE-NIRS ET DE GADGETS, EMBARQUE DANS LA GAMIK À PLEINE VAPEUR.

HIC! C'EST COMBIEN POUR LA MONNAIE OLYMP..HIC!?

CHÉRIE, C'EST L'ARGENT POUR MES MÉDICA-MENTS?

DEO GRATIAS!

$17.00

RENDS-MOI MAT-RELIRE, BAN-DIT!

UN JOUR CE SERA TON TOUR!

J'ESPÈRE QU'IL ACCEPTE-RA LE PAIE-MENT EN NATURE...

HA! HA! HA! GÉNIAL CE PEAUDERAT! HA! HA! HA!

LES COFFRES DE PÉTAK SE REM-PLISSENT À VUE D'OEIL. C'EST UN PAS VERS LE MILLIARD.

EN DÉPIT DE SES TALENTS EXCEP-TIONNELS DE PERSUASION, PEAUDERAT N'AR-RIVE PAS À CON-VAINCRE PÉTAK DE LUI VENIR EN AIDE. CE DER-NIER NE JURE QUE PAR L'EN-TENTE CONVE-NUE AVANT LE PROJET. IL NE DÉBOUR-SERA PAS UN SOU DE PLUS.

BON, PUISQUE VOUS NE VOULEZ PAS M'AI-DER, AI-JE AU MOINS VOTRE PERMISSION DE METTRE SUR PIED MON PROPRE MOYEN DE FINANCEMENT?

FAIS CE QUE TU VOUDRAS, MON VIEUX. DU MOMENT QUE J'AI RIEN À DÉ-BOURSER ET QUE J'EMPOCHE, ÇA ME CONVIENT!

OPTIMISTE INVÉTÉRÉ PEAUDERAT RÉFLÉCHIT.

COMMENT TROUVER CET ARGENT??

HÉ, MONSIEUR, VOUS VOULEZ M'ACHETER UN BILLET DE LOTERIE IRLANDAISE!

NON! NON! MERCI, PETIT.

QUELLE HONTE! FAIRE VENDRE DES BILLETS DE LOTERIE PAR DES ENFANTS!

LOTERIE $
LOTERIE $
$ LOTERIE
LOTERIE $
Loterie $

SNAP!

MAIS OUI !!! POURQUOI PAS, UNE LOTERIE OLYMPIQUE !!!

BOJOUAL LAISSONS TOUT TOMBER ET RENTRONS CHEZ-NOUS. QU'EN DIS-TU?

ASSASSIN!

ALLONS UN PEU DE COURAGE! NOUS DEVONS CONTINUER LA GRÈVE. POUR UNE FOIS NOUS PARTICIPERONS À DES OLYMPIADES.

NOUS DEVONS CONTINUER LA GRÈVE!

À MON AVIS, ON NOUS A MONTÉ UN AUTRE BATEAU D'OR.

APRÈS DE LONGS JOURS DE GRÈVE, LES INDIENS SONGENT À ABANDONNER.

BOJOUAL, PEAUDERAT QUI S'AMÈNE!

SALUT COMMISSAIRE

CA Y EST BOJOUAL; TOUT EST ARRANGÉ: VOS SALAIRES, VOS CONDITIONS DE TRAVAIL, ETC.

A PARTIR DE CE JOUR, TOUT EMPLOYÉ DU CHANTIER OLYMPIQUE, Y COMPRIS INDIENS, CHINOIS ET AUTRES, RECEVRA UN SALAIRE ÉGAL À CELUI DES BLANCS ENGAGÉS IL Y A UN AN. DE PLUS, UN BONI VOUS SERA REMIS A LA FIN DES TRAVAUX.

TOUT EST SIGNÉ ET CONFORME AUX RÈGLEMENTS! VOICI TA COPIE DU CONTRAT DE TRAVAIL.

JUSTICE EST FAITE, COMMISSAIRE. NOUS RETOURNERONS DONC AU TRAVAIL.

L'HONNÊTETÉ ET LA VÉRITÉ SONT INDISPENSABLES AU TRAVAIL.

IL NE FALLUT PAS LONGTEMPS AUX INDIENS POUR TERMINER LES TRAVAUX. PETAK À BORD DE SON PÉDACOPTÈRE, ADMIRE LA BEAUTÉ DE CETTE EXTRAORDINAIRE CONSTRUCTION.

CHAPEAU, MON CHER PEAUDERAT ! TU AS RÉUSSI UN VRAI COUP DE MAÎTRE !

IL Y A POURTANT UNE CHOSE QUE JE DOIS T'AVOUER... IL FAUT PRÉVENIR LES INDIENS QU'ILS NE PEUVENT PARTICIPER AUX JEUX

QUOI ?!!

MAIS OUI ! CAR CE SONT DES PROFESSIONNELS QUI GAGNENT LEUR VIE EN PRATIQUANT DES SPORTS.

JE SUIS TRÈS PEINÉ, MAIS ON NE PEUT RISQUER LA DISQUALIFICATION DE L'ÉQUIPE DU KANADA, TU COMPRENDS ?

TU PEUX PRENDRE MA VOITURE, J'AI DES AFFAIRES À RÉGLER ICI ; ENCORE UNE FOIS, JE SUIS VRAIMENT DÉSOLÉ POUR TES INDIENS.

MERCI !

AU CENTRE DES TÉLÉCOMMUNICATIONS, VITE ÇA URGE ! JE NE ME LAISSERAI PAS FAIRE...

À VOS ORDRES EXCELLENCE ! GUÉDOP ! GUÉDOP !

J'AI UN TÉLÉGRAMME IMPORTANT À ENVOYER.... JE COMMENCE À EN AVOIR PAR-DESSUS LE CHAPEAU DES MESQUINERIES ET DES TRAÎTRISES DE PETAK.

33

LA RUMEUR VOULANT QUE LES INDIENS AIENT ÉTÉ DIS-
QUALIFIÉS DES JEUX, EST POUR LES ATHLÈTES DE
L'ÉQUIPE DU KANADA, UN SUJET DES PLUS DIVERTISSANTS.

COMMENT
ONT-ILS PU CROI-
RE, CES INDIENS
QUE PÉTAK LES
ACCEPTERAIT
AU SEIN DE SON
ÉQUIPE ?!!

IL FAUDRAIT
LES AVERTIR
QUE C'ÉTAIT
COMME SPEC-
TATEURS !

OUI ! OUI !
POUR QU'ILS
AIENT LE PLAISIR
DE NOUS VOIR
REMPORTER LA
MÉDAILLE
D'OR !

HA ! HA !
NOUS L'ÉQUI-
PE DU KANADA
ON EST
TOUS LÀ !
HA ! HA !

HÉ, PAS
MAL CE SLO-
GAN ; FAUDRAIT
S'EN SOU-
VENIR !

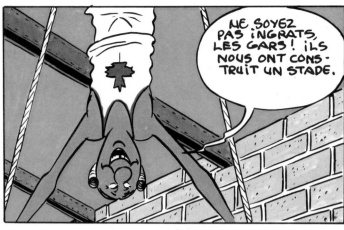

NE SOYEZ
PAS INGRATS,
LES GARS ! ILS
NOUS ONT CONS-
TRUIT UN STADE.

POUR LA
CONSTRUCTION
ILS SONT LÀ...
MAIS POUR LA
COMPÉTITION,
ILS SERONT
PAS LÀ !

À L'OUVER-
TURE S'ILS SONT
LÀ, C'EST QUE
PEAU DE RAT SE-
RA "MAMA" !
HA ! HA !

UN PEU
DE SILENCE,
LÀ-BAS, LE
PÈRE PEAUDE-
RAT EST LÀ !

BONJOUR,
COMMISSAIRE,
TOUT VA COM-
ME VOUS VOU-
LEZ ?

ÇA VA
CAPITAINE,
ET VOS
ATHLÈTES ?

POUR ÊTRE DOUÉS, ÇA
ILS SONT DOUÉS ! MAIS
POUR CE QUI EST DE LA
RÉSISTANCE, ÇA ME
FAIT PEUR UN PEU !

DONNEZ-
LEUR DES
VITAMINES,
UN TONIQUE,
DES FORTI-
FIANTS !

C'EST INU-
TILE ! ILS NE
MANGENT QUE
DES PINOTTES ET
DU CHOCOLAT.

QUOI ?!!
MAIS C'EST DU
STEAK QU'ILS
LEUR FAUT !

OUI, C'EST VRAI !
MAIS ILS N'ONT PAS
UN SOU NOIR QUI LES
ADORE. LES PINOTTES
SONT GRATUITES, VOUS
SAISISSEZ ?

34

TRÈS BIEN, VOILÀ JUSTEMENT UN BON ENDROIT, ALLONS-Y !

NOS CHEVAUX ONT L'AIR ÉPUISÉS, SI ON LES FAISAIT REPOSER UN PEU.

DIS-MOI FONGUS, POURQUOI PENSES-TU QU'ON NOUS A REFUSÉ DE PARTICIPER AUX JEUX OLYMPIQUES ?

C'EST DE LA JALOUSIE! NOUS ÉTIONS LES SEULS À AVOIR LE PIED D'ATHLÈTE, MÊME AVANT L'ENTRAÎNEMENT...

... TANDIS QUE LES INDIENS EUX ONT ÉTÉ DISQUALIFIÉS PARCE QU'ILS SONT PIÉTONS PROFESSIONNELS !

HA! HA! HA! PÉTAK EN SAIT QUELQUE CHOSE CAR LUI IL LES A FAIT MARCHER!

HEIN ?!!! NOUS SOMMES DISQUALIFIÉS DES OLYMPIQUES PARCE QUE NOUS SOMMES DES PIÉTONS PROFESSIONNELS!!!

BOJOUAL N'AIMERA PAS ÇA DU TOUT!

SPLASH!

QU'EST-CE QUE C'EST, IL Y A QUELQU'UN ?

CE N'EST RIEN! RIEN QU'UN INDIEN QUI PÊCHAIT PAR LÀ!

36

40

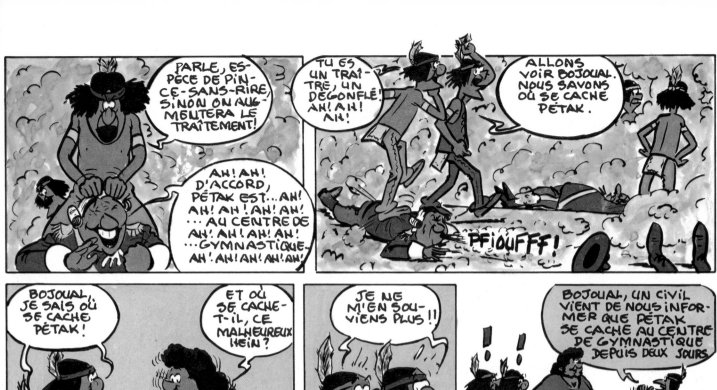

PEAU DE RAT A TENU PAROLE. DANS QUEL-QUES INSTANTS, BOJOUAL ET SES INDIENS PARTICIPERONT AUX JEUX, DANS CE MA-GNIFIQUE STADE QU'ILS ONT CONSTRUIT DE LEURS PROPRES MAINS. LES XXIe JEUX OLYMPIQUES VONT COMMENCER... SANS LA PRÉSENCE DU (PICOTÉ) GRAND CHEF DU KANADA, RETENU AU LIT POUR CAUSE DE MALADIE

"THE SHOW MUST GO ON!"

MESDAMES ET MES-SIEURS, AU NOM DU COMITÉ INTERNATIO-NAL OLYMPIQUE, JE SUIS HEUREUX DE VOUS PRÉSENTER LES ATHLÈTES QUI PAR-TICIPERONT À CES JEUX !

TOUTES LES ÉQUIPES DES PAYS PARTICIPANTS, DÉFI-LENT DEVANT LA FOULE.

BRAVO! BRAVO!

HOURRAH!

LE PORTEUR DE LA FLAMME OLYMPIQUE ARRIVANT DIRECTE-MENT D'OLYMPIE FAIT SON ENTRÉE DANS LE STADE.

APRÈS UN TOUR DE PISTE, IL ALLU-ME LE GIGANTES-QUE FLAMBEAU QUI BRÛLERA PENDANT TOUTE LA DURÉE DES JEUX.

ON SENT BEAUCOUP DE NERVOSITÉ PARMI LES ATHLÈTES DES DIFFÉRENTS PAYS, PLUS PARTICULIÈREMENT CEUX DE L'ÉQUIPE DU KANADA.

NE T'INQUIÈTE PAS SAUTE-MOUTON, MÊME SI CES HOMMES ONT UN PHYSIQUE PLUS IMPRESSIONNANT QUE LE TIEN, CELA NE SIGNIFIE PAS QUE TU ES BATTU!

LES ATHLÈTES SONT PRIÉS DE PRENDRE PLACE POUR LA COMPÉTITION DU SAUT EN LONGUEUR!

JE PRÉFÉRERAIS SAUTER MON TOUR PLUTÔT QUE DE SAUTER AVEC CES GARS-LÀ.

ATTENTION, VOICI LE SIGNAL: GO!

L'ALLEMAGNE DE L'EST!

L'ANGLETERRE!

LES ÉTATS-UNIS!

LA RUSSIE!

LE KANADA VIENT DE FAIRE UNE MAUVAISE CHUTE, MAIS UN BEAU SAUT!

POUF!

AH! AH! AH! BRAVO, SAUTE-MOUTON. TON SAUT D'AUTRUCHE TE VAUT UNE 3e PLACE!

QUOI! JE GAGNE UNE MÉDAILLE?!!

MES DAMES ET MESSIEURS, LA MÉDAILLE D'OR POUR LE SAUT EN LONGUEUR, EST REMPORTÉE PAR LES ÉTATS-UNIS. L'ALLEMAGNE DE L'EST SE MÉRITE LA MÉDAILLE D'ARGENT... ET LE KANADA S'EMPARE DE LA MÉDAILLE DE BRONZE!

CAN YOU TELL ME THE NAME OF YOUR TONIC?

TOUTES MES FÉLICITATIONS, FEU-FOLLET VOUS ÊTES LA RÉCOMPENSE DE MES EFFORTS.

QUEL BEAU PETIT QUE CE KANADIEN! AH! COMME IL EST MIGNON!

VIVE LES HURONS-KÉBÉKOIS! VIVE LES INDIENS! BRAVO!

QU'EST-CE QUE TU DIS DE ÇA, NEIN? UNE MÉDAILLE D'OR!

MESDAMES ET MESSIEURS, VOUS ALLEZ MAINTENANT ASSISTER À LA DERNIÈRE DISCIPLINE DES JEUX. LA PLUS SPECTACULAIRE ET LA PLUS IMPRESSIONNANTE DE TOUTES LES DISCIPLINES OLYMPIQUES! L'HALTÉROPHILIE DES SUPERS POIDS-LOURDS!!! VOUS VERREZ LÀ, DEVANT VOUS, UNE SUPER COMPÉTITION ENTRE LES TROIS HOMMES, LES PLUS FORTS DU MONDE!

DE RUSSIE, VLADIMIR BEK-DELIEV!!! DE LA FRANCE, LE GÉANT FAIREY!!! ET DU KANADA, BOJOUAL, LE HURON-KÉBÉKOIS!

MESDAMES ET MESSIEURS, LE SOVIÉTIQUE BEK-DELIEV TENTERA DE FRACASSER SON PROPRE RECORD QUI EST DE 295 KGS.

RÂF!

OUAF!

AHH!

IL A RÉUSSI, MESDAMES ET MESSIEURS!!! C'EST UNE NOUVELLE MARQUE! IL A SOULEVÉ 300 KILOS!!! BRAVO À LA RUSSIE!!!

DANS SA TROISIÈME ET DERNIÈRE TENTATIVE, LE FRANÇAIS FAIREY ESSAIERA D'ÉGALER LE RECORD DE LA RUSSIE!

WAFE!

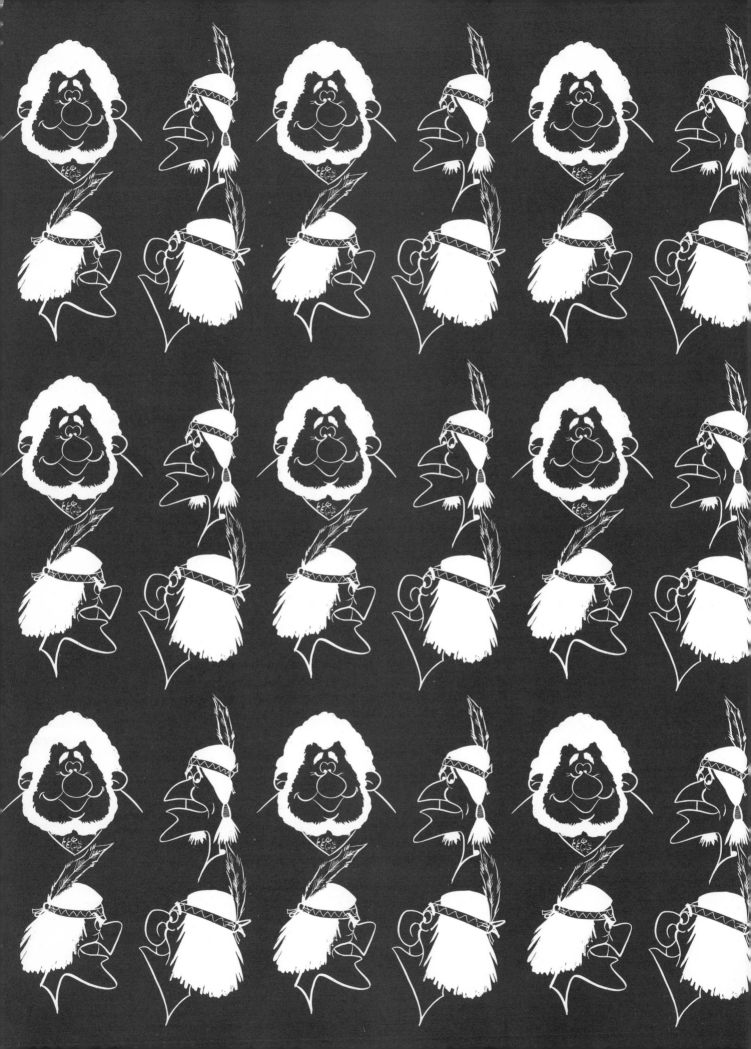